Baby's Stories

"夢幻小故事"

序

〈睡前5分鐘〉

融合了古今中外的經典故事，

為孩子展開一幅幅生動的畫面。簡潔的文字，

可讓孩子自己閱讀，

更適合媽媽在睡前念給寶貝聽。

每一篇富有哲理的小故事，

都能蕩漾孩子的心靈，

陪伴孩子進入甜美的夢鄉……

春筍大力士

樹林裡的空氣很清新，小兔提著籃子去採蘑菇。小兔走到竹園，一塊大石頭擋住了牠的路。小兔想把它搬走，但牠費了很大的力氣，大石頭卻一動也不動。這時候，一隻小狗走過來幫忙。牠倆使勁的搬著，可是大石頭還是沒動。

小熊也來了，牠的個頭大，胳膊也很粗。小熊抱住大石頭用力的推，大石頭仍然穩穩的在那兒。

於是，三

個伙伴一起用力推。大石頭真重啊！牠們累得直喘氣，大石頭還是一動也不動的擋在路上。

怎麼辦呢？

突然，大石頭動了，這是怎麼回事？三個伙伴嚇壞了，趕緊躲進竹林裡偷看。大石頭真的在動，

它一邊在一點點的往上抬，越抬越高，最後「咕嚕」一下，大石頭翻了個身，滾到了路邊。

小兔牠們跑上前去看，只見小路上冒出了一根新長出來的竹筍，又粗又壯。原來是竹筍把大石頭頂翻的。

新生事物往往用驚人的力量去克服前進道路上的重重阻力，不達目的誓不罷休。人也要有這種精神。

大雁報仇

大雁和狐狸是一對好朋友，牠們一直生活在一起。後來，大雁生了孩子，牠細心的照顧著小雁，而狐狸卻在盤算著怎樣吃掉小雁。

有一天，大雁和狐狸出去尋找食物。半路上，狐狸偷偷跑回家，吃掉大雁最胖的一個孩子。

大雁回來後，狐狸眼淚汪汪的說：「我回來時發現妳的一個孩子不見了。」

大雁非常傷心。第二天

牠們又一起去找食物，回來時，一隻小雁又不見了。

狐狸就假惺惺的說：「我剛才看見了青蛙在這裡打轉。」大雁就飛去找青蛙報仇，追得青蛙到處逃竄。但是，大雁回家一看，最後一隻小雁也不見了，大雁這才

明白是狐狸在搞鬼。大雁對狐狸說：「這個地方吃的東西太少，不如我們搬到草湖那邊去吧！我背你去。」

大雁把狐狸背在背上，飛向天空，突然把狐狸從空中摔下來。狐狸終於得到了應有的懲罰。

若要人不知，除非己莫為。真相總有大白的時候，壞人必定會受到嚴懲的。

小公雞學本領

小公雞覺得自己已經長大，決定獨自出去學本領。

小公雞來到樹林裡，看見貓媽媽正在教牠的孩子學爬樹。小公雞想：「我就學習爬樹吧！」

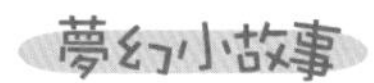

於是，牠抱著一棵樹就開始爬。哪知樹皮把牠的羽毛刮掉了一大撮。貓媽媽對小公雞說：「小公雞，你還是學習別的本領吧！」

小公雞來到草地上，看見幾隻小鳥正在練飛。小鳥們張開翅膀，一下就飛到藍天上。小公雞想：「我也學

習飛吧！」

小公雞學著小鳥的樣子，張開翅膀往上飛。沒想到剛飛幾下，就重重的掉了下來。幸好掉進沙坑裡，不過還是疼得直揉屁股。

小公雞又來到小河邊，看見鴨子和白鵝在游泳。小

公雞想：「我學習游泳吧！」小公雞下了水，也用力的划呀划。可是，牠的身體卻往水下沉，嚇得大喊救命！鴨子和白鵝急忙把小公雞救上了岸。

小公雞學成本領了嗎？「喔喔」，你聽，催我們起床的，就是那隻小公雞呀！

道理篇

盲目的學習會像小公雞學習本領一樣失敗。家長要根據孩子的天賦、性格、愛好等為孩子選擇合適的學習方向。

小狐狸獨自在家，沒有事做，也沒有人陪牠一起玩耍，牠決定出門去找工作。

小狐狸來到沼澤地，看到了雞媽媽。牠想幫雞媽媽孵小雞，雞媽媽拒絕了。

小狐狸找到烏龜爺爺，敲敲牠的甲殼屋頂，說：「我想找工作，我會說故事，猜謎語。」烏龜爺爺拒絕了。

小狐狸四處碰壁，只好垂頭喪氣的往家裡走。

回到了家，牠看見桌子上堆滿了沒洗的碗碟，地板上積了塵土，被子也沒有摺疊。小狐狸高興的說：「哈哈！我可以為媽媽工作！」

牠一邊工作，一邊唱著歌，心想：「媽媽回來後，看到家裡乾乾淨淨，一定開心極了！」

小狐狸終於找到適合自己的工作了。

道理篇

有很多人認為工作只是為了賺錢、生活。其實工作還能為人帶來自信和快樂，以及發現自身的價值。

小兔子上樹

小兔子一家住在樹洞，樹上的小屋也住著喜鵲。

每天清早，小喜鵲就喜歡站在樹枝上唱：「我家的小屋真正好，空氣新鮮陽光照。」小兔子聽了，也想搬到樹上去住。

兔媽媽卻說：「我們沒有翅膀，住在樹上不方便，會有危險的！」

小兔子根本聽不進去，媽媽一離開家，就要小松鼠把牠拉上去。小兔子躺在小喜鵲的家裡，眞是舒服啊！

突然，下起了大雨。小

喜鵲家沒有屋頂，因爲小喜鵲的羽毛上有一層油，像穿了雨衣似的，不怕下雨。小兔子卻成了「落湯雞」！幸虧小松鼠趕緊採了一張大荷葉，做了臨時的屋頂，才使小兔子不再淋雨。

雨停了，但是，糟糕！一隻野貓爬上樹，朝小兔子撲去。小兔子不會飛，只好閉著眼睛往下跳。幸好河馬路過，小兔子掉進牠的嘴裡！

河馬把小兔子吐出來，說：「你的家是最安全的，那兒有許多出口！」

道理篇

不要盲目的和別人去比較，適合自己的就是好的。

小錫兵

有個小男孩在過生日的時候，收到了一個裡面裝著二十五個小錫兵的禮物。

小錫兵背著槍，十分威武。小男孩把它們一個個拿出來，放在桌上。他發現有個小錫兵只有一隻腳。

小男孩的妹妹有個跳芭

蕾舞的小姑娘娃娃，一隻腳舉得高高的，藏在裙子裡，看起來也只有一條腿。

小男孩和妹妹分別把一隻腳的小錫兵與芭蕾姑娘，放在煙盒的兩邊。

小錫兵

端正的站著，偷偷的看芭蕾姑娘，它一直用一隻腳站立著。小錫兵非常佩服，覺得它非常可愛。

突然，煙盒的蓋子打開了，跳出一個黑妖精，一口氣把小錫兵吹到窗外去了。

一會兒，有兩個小男孩

路過這裡，發現了小錫兵。他們用報紙做了一條船，把小錫兵放在船上，順水漂流。

小錫兵站在船上，心裡想：「要是芭蕾姑娘能跟我在一起，那該多好啊！」

突然，一條大魚把小錫兵一口吞了進去。這時，一張大網撒來，把大魚網住。小男孩的保姆到市場買菜，剛好把這條魚買回來。當她用刀割開魚的肚子時，小錫兵又出現了。

保姆把小錫兵送還小男孩，小男孩卻把小錫兵扔進火爐裡。爐火越燒越旺，小錫兵的手、腳

都熔化了，成了錫塊。

突然門開了，一陣風把芭蕾姑娘吹向火爐，落到小錫兵身邊。

第二天，保姆在清掃爐子時，發現小錫兵變成一顆小小的錫心，而那個芭蕾姑娘也和錫心熔在一起。

小錫兵對芭蕾姑娘的愛至死不渝，芭蕾姑娘也愛上只有一條腿的錫兵。在真心相愛的人眼裡，雙方是沒有距離的。

鴨子孵蛋

很久以前，雞媽媽和鴨媽媽都生了許多蛋，可是牠們都不會孵蛋，就去向鳥王請教。

鳥王說：「你們先做好窩，把蛋放在裡面，再蹲上二十一天，就會孵出小寶寶了。」

雞媽媽把鳥王的話記在心裡，蹲在窩裡學孵蛋。

鴨媽媽孵了兩天，腰酸腿麻，就把鳥王的話忘了。

牠聽說森林裡開歌舞會，就偷偷的溜去看表演。鳥王看見了，急忙要牠回去孵蛋。

鴨媽媽蹲了一會兒，又跑到池塘裡去游泳。

二十幾天過去，雞媽媽孵出許多雞寶寶。

鴨媽媽只顧著玩，一個寶寶也沒有孵出來，只好請求雞媽媽幫她孵蛋。直到現在，鴨媽媽還是不會孵蛋。

三心二意的做事情，
任何事也做不成。

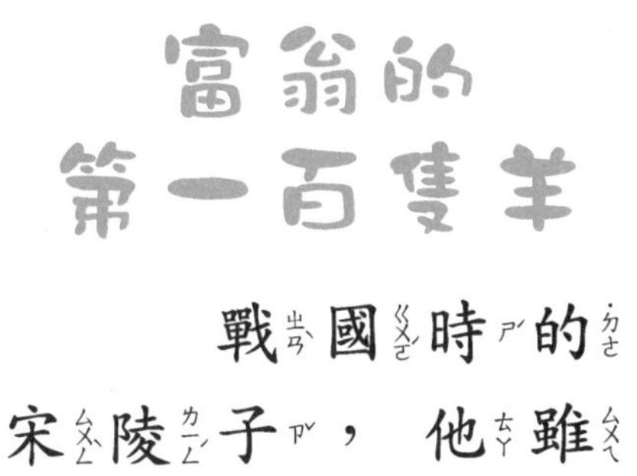

富翁的第一百隻羊

戰國時的宋陵子，他雖然貧窮，但是卻知足常樂。可是魏文侯卻常常譏笑他，說：「你一直都很窮，難道要窮一輩子嗎？」

宋陵子平靜的說：「前

幾天，我做了一個很奇怪的夢，夢見有一個養了九十九隻羊的富翁，他一天到晚希望能再得到一隻羊，好讓自己的羊隻數目變成一百。

想來想去，忽然想到隔壁那個貧窮的老人有一隻羊，就興沖沖的

跑去請求老人把那隻羊賣給他。」宋陵子接著又說：「如果富翁還需求助於人，就很難說到底誰富誰貧了。」

最後宋陵子語重心長的說：「富有的人並非真正的富有，貧窮的人也並非真正的貧窮。」

道理篇

快樂與貧富無關，知足者常樂。

刺蝟和橡子殼

一隻老虎出去找吃的東西。牠看見一隻朝天躺著的小刺蝟，以爲是一塊肉，就把嘴巴伸過去。沒想到鼻子被小刺蝟夾住了。老虎嚇得飛快的往山裡跑，小刺蝟也趕緊回家了。

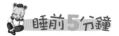

老虎跑了很遠，累得坐在一棵大樹下休息。牠又發現一個像刺蝟的橡子殼，就說：「你這個小傢伙，怎麼總是跟著我呀？」

樹上的麻雀笑說：「遇到事情要仔細觀察，認真想想，不然就會出醜。」

道理篇

遇到相似的事物，不要急著下結論，要認真分析，謹慎處理。

烏鴉喝水

一隻烏鴉口渴了，到處找水喝，可是飛了半天，也沒有找到一滴水。後來，牠看見一座房子的門外放著一個瓶子，就把嘴伸了進去。因爲瓶子實在太深了，無論如何也喝不到水。

烏鴉想把瓶口啄破。可是，牠啄半天，瓶子依然如故。牠想把瓶子推倒，讓水流出來。可是牠試了又試，瓶子還是沒有動。

這時候，牠看到鋪著小石子的小路，就跳下去叼起

一粒小石子，再跳回臺階上去，把石子扔到瓶子裡。

牠反反覆覆的把小石子扔到瓶子裡。瓶底漸漸堆滿石子，水越升越高。

最後，辛苦了半天的烏鴉，終於喝到了清涼的水。

這個故事告訴我們，智慧往往勝過力量。

靈犬黃耳

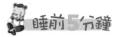

魏晉時期，有一個叫陸機的名士，他養了一條非常善解人意的狗，名叫「黃耳」。

有一次，在京城的陸機有急事想要通知家人，他把黃耳叫過來，對牠說：「你把這封信帶回家去，記得要帶一封回信回來呀！」

黃耳點點頭，好像聽懂了。陸機把信綁在牠身上，黃耳就出發。

一路上，黃耳不敢稍作停留，不管日曬或雨淋，不停的向前跑，一直跑到陸機

的家中。

黃耳走後，陸機每天都惦記著。五十天以後，黃耳終於面容憔悴的跑回來了。

陸機看見黃耳，激動抱著牠說：「你真棒，就知道你一定會辦到的。」

陸機迅速的拿下黃耳帶回來的信。而黃耳卻

筋疲力盡的倒在地上。

等到陸機讀完信，才發現黃耳已經死了，難過的抱著黃耳的屍體痛哭不止。

爲了紀念黃耳的忠心，陸機選了一塊地，替牠建了一個墓塚，經常來祭拜牠。

靈犬黃耳除了忠心之外，還有很強的責任心，才能夠不負使命的完成任務。

鍋巴和爛草鞋

有一個勤勞節儉的王老漢，靠駕船爲生。他的兒子王忠也是一個駕船的好手。

這年秋天，王老漢年紀大了，不能再駕船，王忠就替父親出遠門。

王忠對父親說：「要我替您帶什麼禮物回來嗎？」

王老漢說：「你只要把吃剩的鍋巴和穿爛的草鞋帶回來就行了，越多越好。」

一路上，王忠牢記父親的話，每天把吃剩的鍋巴留下來，把穿破

的草鞋存起來。時間一長，鍋巴和爛鞋就裝了半個船艙。

船返航的時候已經是寒冬了。有一天，忽然大雪紛飛，船無法行駛，被迫停靠在一座荒涼的小島上。小島沒有人煙，船上的糧食和柴火也都沒有

了。王忠想起留著的鍋巴和爛草鞋。就連忙用爛草鞋當柴，煮鍋巴來吃，就這樣，大家渡過了難關。

回家後，王忠把經過告訴父親。王老漢聽了高興的說：「我就是要你明白，平時節儉，有難時，鍋巴也可以救命！」

關於節儉，有句諺語說得好：「常將有日思無日，莫待無時思有時。」

海馬爸爸「生」孩子

一條大青魚猛然發現一個頭長得像馬，身子彎彎的，肚子向前挺著的奇怪動物。大青魚問：「你叫什麼名字啊？你怎麼立著游泳啊？你的肚子怎麼那麼大

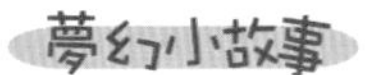

呢？」

那動物說：「我是海馬呀！我們都是立著游泳！我肚子裡面懷著海馬卵。」

大青魚點點頭說：「恭喜妳呀，海馬媽媽！」

海馬說：「我不是海馬媽媽，我是海馬爸爸。」

大青魚回答：「別的動物都是媽媽生孩子，你怎麼是爸爸生呢？真奇怪。」

海馬爸爸說：「海馬媽媽把卵生在我肚子的口袋，然後由我把小孩養大。」

大青魚終於明白，小海馬原來是爸爸養大的。

大千世界裡，無奇不有。有些事情違背常理，凡事不可以一概而論。

寒號鳥

太行山的石崖縫裡住著一隻寒號鳥。前面河邊的大楊樹上住著喜鵲。牠們面對面住著，成了好朋友。

秋天到了，寒冷的冬天也不遠了。

有一天，天氣晴朗，喜鵲銜回來一些枯草，準備築巢過冬。寒號鳥卻漫山遍野飛翔，累了就回來睡大覺。

喜鵲勸寒號鳥趁著天晴時趕快築巢，寒號鳥卻不在意。

冬天說到就到，寒風漫山遍野的颳著。喜鵲住在自己新築的溫暖窩裡過冬。崖縫裡非常冷，寒號鳥直打冷顫，後悔沒有聽喜鵲的話，準備明天就築巢。

第二天，風停了，暖暖

的太陽出來了，好像春天降臨。喜鵲再勸寒號鳥築巢。牠伸伸懶腰，又睡著了。

嚴冬臘月，天空飄著大雪，崖縫裡冷得像冰窖。懶惰的寒號鳥發出了最後的哀號，凍死了。

寒號鳥不僅是懶惰成性，而且得過且過，對善意的勸告置之不理，所以才會凍死。

猴子的祖先

阿巧是一位心地善良的女孩，她在一個富人家當丫鬟。有一天，阿巧正在花園澆花，一個可憐兮兮的乞丐出現在她身後，說：「我已經好幾天沒吃飯了，給我一點東西吃吧！」

阿巧就把自己的午餐偷偷留下一半，送給乞丐。

第二天，當阿巧洗衣服的時候，乞丐又出現了。阿巧正準備拿吃的東西給乞丐時，卻被女主人看到了。她邊罵，邊把乞丐推出門外。阿巧趁著女主人不注意時，偷偷拿了吃的東西，送給倒在門外的乞丐。

乞丐吃完東西，又抬起腳，說：「妳的心地眞好，一定會有好報的。請妳再幫我把腳上的膿擠出來。」

阿巧一句話也沒說，就把乞丐腳上的膿擠出來了。阿巧回到屋裡，女主人驚訝的問：「妳是誰？怎麼穿阿

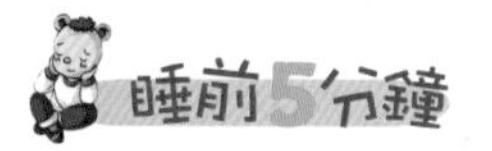

巧的衣服？」

原來阿巧已經變成一個如花似玉的美人。女主人知道原因以後，馬上去找乞丐，不但請他吃飯，還幫他擠腳上的膿包。結果女主人反而比以前更醜了，而且臉上、身上還長出毛來。

乞丐又拿了一片火熱的

瓦，說：「如果要拔掉身上的毛，就坐到瓦片上吧！」女主人趕緊坐上去，哪知道不但沒有把毛弄掉，反而把屁股燙得通紅。

從此以後，女主人再沒有臉在鎮上住下去，跑到山中隱居起來。據說，這就是猴子的祖先。

出於善意的本能，無私的去幫助別人，往往自己會受益；為了達到自己的某種目的，刻意去做好事，就會事與願違。

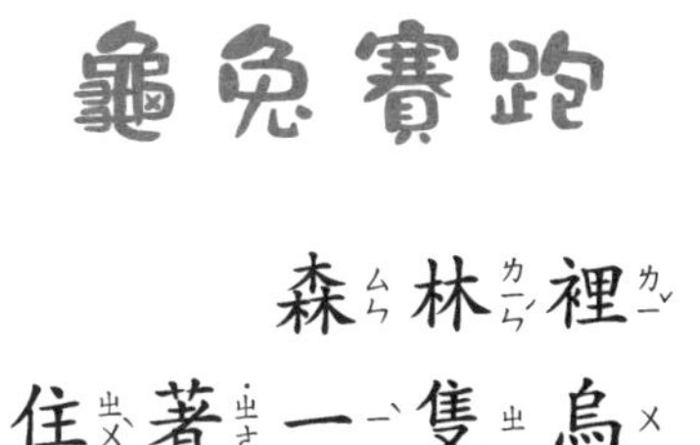

龜兔賽跑

森林裡住著一隻烏龜和一隻兔子，兔子一蹦一跳跑得快，烏龜一步一步爬得慢。

有一天兔子對烏龜說：「我們來比賽跑怎麼樣？」烏龜知道兔子想要欺負牠，

就說：「比就比。」兔子聽了哈哈笑：「我們從這兒開始跑，看誰先跑到山那邊的大樹下。」

比賽開始了，兔子撒腿就跑，一會兒就跑得很遠。牠回頭一看，烏龜才爬了一小段路，心想：「牠爬得那麼慢，我就在這兒睡一覺，牠也追不上來。」

烏龜毫不偷懶的慢慢爬著，等牠爬到兔子身邊，發現兔子還在睡覺，烏龜也想休息，但是牠知道只有堅持爬下去才有可能贏。於是，牠不停的往前爬。

兔子醒來後急忙的趕上去，可是烏龜已經到達終點了。

即使自己沒有優勢，只要充滿信心，堅持不懈的朝著目標前進，就能成功。

狡猾的狐狸

老狼和熊是好朋友，有一天，老狼捉到了兩隻山雞。牠把雞洗乾淨放進鍋裡煮，就去請狗熊一起來吃。

狡猾的狐狸聞到了山雞的香味，偷偷溜進老狼的廚房。一會兒就把兩隻山雞吃了，然後溜出去。

老狼回來，根本沒發現狐狸來過。牠到屋外磨刀，準備磨利來切雞肉。

熊拿了瓶好酒，朝老狼家走來。狐狸看見了，又想騙熊的好酒喝。於是，捂著耳朵，哭著對熊說：「熊大哥，老狼說請我吃雞，沒想到竟然是要吃我的肉。這是牠用刀砍的！」

熊看見狐狸耳朵上確實有血跡，害怕極了，扔下那瓶酒，撒腿就跑。

狐狸跑到老狼家說：「你煮的山雞被熊拿走了。」老狼想都沒想，生氣的揮

著雪亮的刀追熊去了。

熊看見老狼拿著刀追過來，以爲老狼真的要殺牠，跑得更快。老狼認爲牠作賊心虛，追得更起勁。最後牠們都跑不動了，坐著喘氣。雙方一交談，才明白原來都上了狐狸的當。

朋友之間如果缺少信任，就會像老狼和熊一樣上了壞人的當。

種金子

有個國王經過沙漠時，看見一位老漢正在挖土。國王問他在幹什麼，老漢回答說：「種金子。」

國王感到很奇怪，於是給了老漢二斤金子，要老漢幫他種。到了傍晚，老漢果然交給國王四斤金子。國王高興極了，把國庫裡所有的金子都給了老漢，要他在沙漠裡種金子。

老漢卻悄悄的把這些金子，全部分給了窮人。

晚上，國王和隨從趕著大車去沙漠取

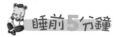

金子，老漢愁眉苦臉的說：「沙漠裡鬧旱災，今天沒有收成。」國王生氣的說：「沙漠裡怎麼會有旱災？」

老漢說：「既然沙漠裡沒有旱災，那麼怎麼會長出金子來呢？」國王才明白自己因為貪婪而當了笨蛋。

道理篇

貪婪會改變人，令人變得自私、愚蠢，相信一些不可能發生的事情。

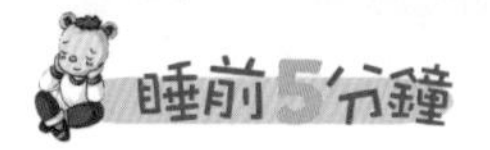

力太郎

從前，有對夫婦唯一的孩子不幸夭折。夫妻倆悲傷了好幾年，身上積滿污垢，他們搓下身上的污垢，做了一個男孩子。污垢孩子一做好，就變成真孩子。污垢孩子很能吃，而且特別有力，所以取名為力太郎。長大後的力太郎，決定要到外面闖蕩，成為一個傑出的人。夫婦倆花掉全部積蓄，請鐵匠做一個大鐵棒送給力太郎。

有一天，力太郎遇見了一個背著神廟的大力士。他揮起鐵棒，把神廟打碎。神

廟武士生氣的撲過來，力太郎把他踢向空中，掛在高高的松樹上。神廟武士很服氣的做了力太郎的隨從。

他們走到一條山路時，看到一個大漢，用拳頭將石頭打碎。當碎石飛過來，力太郎輕輕一吹，碎石又飛回去，打在大漢頭上。憤怒的石武士向力太郎撲過來。力太郎抓起他，摔在岩石上。

石武士也心服口服的做了力太郎的隨從。

傍晚，他們來到鎮上，卻看不到一個人影。突然，他們發現一位姑娘哭得很傷心。力太郎上前問她原因。

姑娘害怕的回答說：「妖怪要抓我去做新娘，不然，就會毀掉這座城

鎮。」力太郎、神廟武士和石武士決定除掉這個妖怪。

到了晚上，妖怪來了，伸手要抓姑娘時，神廟武士和石武士撲過去。但是，他們都被妖怪吞到肚裡去了。力太郎揮起鐵棒，鐵棒卻被妖怪折彎。力太郎只好空手與ㄩˇ妖ㄧㄠ怪ㄍㄨㄞˋ打ㄉㄚˇ起ㄑㄧˇ來ㄌㄞˊ。忽ㄏㄨ然ㄖㄢˊ，力ㄌㄧˋ太ㄊㄞˋ郎ㄌㄤˊ使ㄕˇ勁ㄐㄧㄥˋ一ㄧˋ踢ㄊㄧ，剛ㄍㄤ好ㄏㄠˇ踢ㄊㄧ中ㄓㄨㄥˋ妖ㄧㄠ怪ㄍㄨㄞˋ的˙ㄉㄜ肚ㄉㄨˋ子˙ㄗ。

妖ㄧㄠ怪ㄍㄨㄞˋ痛ㄊㄨㄥˋ得˙ㄉㄜ大ㄉㄚˋ叫ㄐㄧㄠˋ一ㄧˋ聲ㄕㄥ，神ㄕㄣˊ廟ㄇㄧㄠˋ武ㄨˇ士ㄕˋ和ㄏㄢˋ石ㄕˊ武ㄨˇ士ㄕˋ便ㄅㄧㄢˋ從ㄘㄨㄥˊ他ㄊㄚ的˙ㄉㄜ鼻ㄅㄧˊ孔ㄎㄨㄥˇ噴ㄆㄣ出ㄔㄨ來ㄌㄞˊ。妖ㄧㄠ怪ㄍㄨㄞˋ倒ㄉㄠˇ了˙ㄌㄜ下ㄒㄧㄚˋ去ㄑㄩˋ，再ㄗㄞˋ也ㄧㄝˇ爬ㄆㄚˊ不ㄅㄨˋ起ㄑㄧˇ來ㄌㄞˊ了˙ㄌㄜ。大ㄉㄚˋ富ㄈㄨˋ翁ㄨㄥ見ㄐㄧㄢˋ他ㄊㄚ們˙ㄇㄣ救ㄐㄧㄡˋ了˙ㄌㄜ自ㄗˋ己ㄐㄧˇ的˙ㄉㄜ女ㄋㄩˇ兒ㄦˊ，決ㄐㄩㄝˊ定ㄉㄧㄥˋ把ㄅㄚˇ三ㄙㄢ個˙ㄍㄜ女ㄋㄩˇ兒ㄦˊ分ㄈㄣ別ㄅㄧㄝˊ嫁ㄐㄧㄚˋ給ㄍㄟˇ他ㄊㄚ們˙ㄇㄣ做ㄗㄨㄛˋ妻ㄑㄧ子ㄗˇ。從ㄘㄨㄥˊ此ㄘˇ，他ㄊㄚ們˙ㄇㄣ過ㄍㄨㄛˋ著˙ㄓㄜ幸ㄒㄧㄥˋ福ㄈㄨˊ快ㄎㄨㄞˋ樂ㄌㄜˋ的˙ㄉㄜ日ㄖˋ子˙ㄗ。

道理篇

人從小就應該要有志氣，用心學習各種本領，長大後在社會上才能有所作為。

神燈

很久以前，蘇丹的大臣賈方在沙漠中找到一個神秘洞，洞中有一盞神燈，只有一個人有資格進去。賈方用巫術查出唯一有資格進入神秘洞的人叫阿拉丁。賈方花言巧語的騙阿拉丁到神秘洞前。

要阿拉丁進去把洞中的神燈取出來交給他。洞穴裡堆滿金幣和珠寶，阿拉丁隨手抓些珠寶放入懷中，最後，阿拉丁找到了神燈。

賈方懷疑阿拉丁想獨佔神燈，就念咒語關閉洞門，把阿拉丁困在洞中。阿拉丁一邊埋怨自己糊塗，一邊用手擦著神燈。忽然，一個巨神從神燈裡出來，說：「主

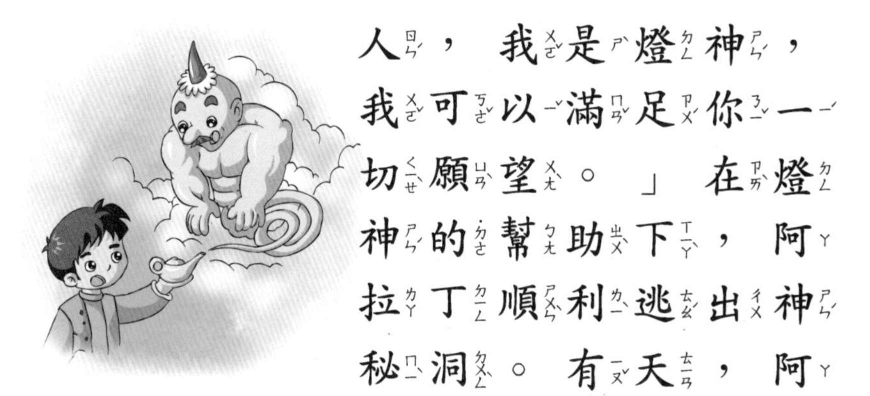

人，我是燈神，我可以滿足你一切願望。」在燈神的幫助下，阿拉丁順利逃出神秘洞。有天，阿拉丁在街上看見公主出遊。公主長得很美麗，阿拉丁立刻愛上她，決定去求婚。他把從神秘洞中帶出來的寶石全部獻給國王，國王說：「

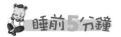

如果你能再給我四十盤寶石、四十名女奴和四十名男奴，我就把公主嫁給你。」

燈神幫助阿拉丁實現國王的要求。賈方一直懷恨在心，發誓要把神燈搶來。他趁阿拉丁不在，化裝成一個商人，來到宮牆外大叫：「舊燈換新燈！」

一個宮女不知情，把神燈拿去換。賈方得到神燈後，馬上要燈神把公主和宮殿遷到遙遠的沙漠。阿拉丁決心不惜一切找到妻子和神燈。他歷盡千辛萬苦，在沙漠中找到了公主。公主用酒灌醉賈方，阿拉丁趁機殺死他，帶著公主和神燈回到家鄉，過著幸福的生活。

阿拉丁有了無所不能的神燈，只是用它作為尋找幸福生活的工具。阿拉丁對財富超然的態度，不是一般人能做到的。

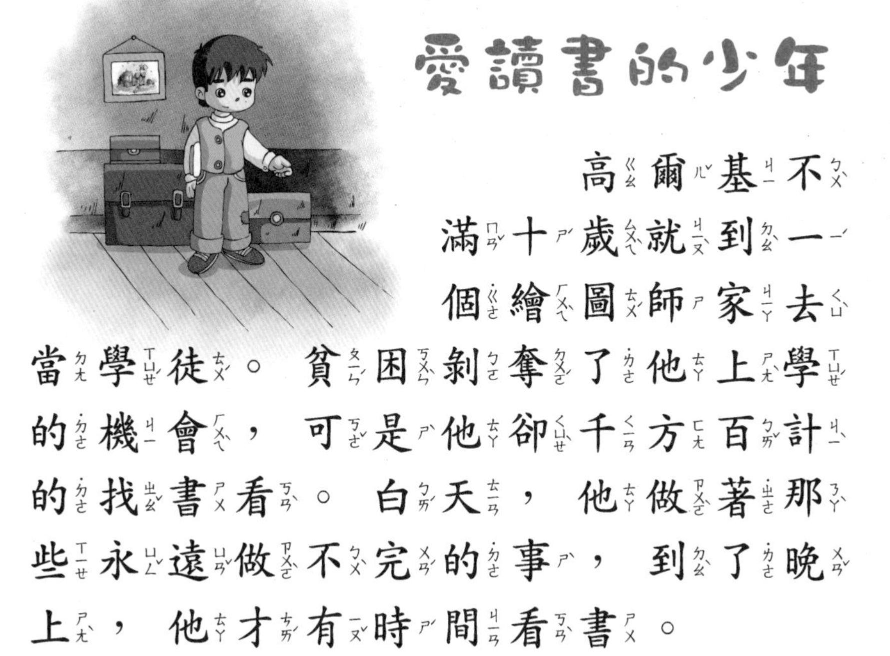

愛讀書的少年

高爾基不滿十歲就到一個繪圖師家去當學徒。貧困剝奪了他上學的機會，可是他卻千方百計的找書看。白天，他做著那些永遠做不完的事，到了晚上，他才有時間看書。

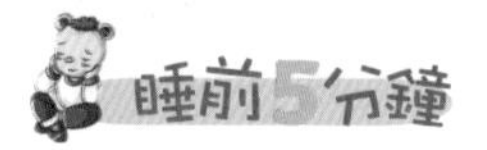

可是主人卻不允許他讀書，高爾基只好等主人睡覺後，再偷偷的到樓頂小屋裡藉著月光讀書。

在沒有月光的夜晚，他就爬上高高的木凳，在主人家供奉聖像的長明燈下，藉著微弱的燈光看書。有天，高爾基由於白天工作太累，夜裡讀書時竟然睡著了。猛然間，耳邊響起辱罵聲，睜眼一看，主人正狠狠的盯著他。高爾基任憑他辱罵，只擔心他把書撕掉。幸好主人沒有這麼做。

廣泛的閱讀使高爾基積累了淵博的知識，他終於成爲俄國偉大的作家。

書籍是最好的朋友。當遇到困難的時候，你都可以向它求助，它永遠不會背棄你。

白雪公主

在一個遙遠的國度裡，王后生下了一個可愛的小公主，這個女孩的皮膚白得像雪，國王就替她取名爲「白雪公主」。白雪公主逐漸長大，她有著美麗的臉龐和天使般善良的心。可是，母親

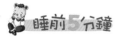

卻生病去世了。國王迎娶新的王后，這位美麗的新王后是個精通法術的女巫。她最恨別人比她美麗。她有一面很奇特的鏡子，經常對著它問：「魔鏡，誰是世界上最美麗的女人？」魔鏡回答：「全世界最美的女人是妳，王后。」有一天，當王后再問魔鏡時，魔鏡卻回答說：「白雪公主比妳美麗。」

新王后聽了非常生氣，命令宮廷的武士把白雪公主偷偷帶到森林裡殺掉。武士不忍心，就放走白雪公主。

她在森林裡發現一棟小木屋，裡面整齊的排列著七張小床。疲倦的白雪公主就在床上躺下來，不知不覺睡

著了。這是七個小矮人的家，傍晚小矮人回來發現了白雪公主，白雪公主把自己的遭遇告訴小矮人。小矮人就把她留下來。白雪公主每天替小矮人打掃房子，做可口的晚餐。

新王后透過魔鏡知道白雪公主並沒有死，又做了一

個毒蘋果，打扮成老太婆的模樣，把毒蘋果送給白雪公主。白雪公主咬了一口，馬上昏死過去。小矮人回家以後，以爲白雪公主死了，把她放在一個裝滿鮮花的玻璃棺材内。這時候，鄰國的王子正好路過森林，看到玻璃棺材裡美麗可愛的公主。他情不自禁的俯身吻了她。

突然，白雪公主從口中

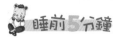

吐出吃進去的蘋果，睜開了雙眼。原來是王子對公主的愛，使毒蘋果失去效力！王子向白雪公主求婚，白雪公主羞怯的答應了。壞心眼的王后聽說白雪公主沒有死，還嫁給王子，一下子就氣死了。

白雪公主用美麗、善良和勤勞贏得了人們的同情與關愛，不僅躲過惡毒的王后一次次的陷害，還獲得了幸福生活。

灰姑娘

從前，有一個善良的女孩，母親去世後，她爸爸又娶了一個妻子。繼母帶來兩個女兒，卻偏心的給女孩換上舊外套，逼她做又髒又累的事。她身上沾滿了灰塵和煤灰，人們就叫她灰姑娘。

有一次，父親爲兩個女兒帶回了珍珠和鑽石，也給灰姑娘一隻漂亮的鳥，小鳥成了灰姑娘最好的朋友。

這一天，王子邀請了全國漂亮的女孩到王宮參加舞會，並從中選一個做爲王妃。灰姑娘的兩

個姐姐也被邀請了。灰姑娘很想去，但是繼母堅決不肯。她們走了以後，灰姑娘的朋友小鳥，爲她帶了一套漂亮的禮服和一雙鞋子，要她偷偷去參加。王子很快被灰姑娘給吸引，他們一起跳舞到很晚。午夜鐘聲快響起時，灰姑娘趕緊離開。王子

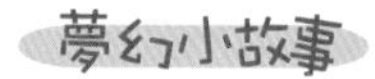

追出去，灰姑娘卻不見了，只看到她匆忙中遺落的一隻鞋子。王子將鞋子撿起來，說：「我要娶能穿上這隻鞋的姑娘做我的王妃。」

王子要全國的姑娘試穿這隻鞋子，灰姑娘兩個姐姐的腳太大，根本穿不進去。但是灰姑娘卻合適的穿上這隻鞋。於是，灰姑娘和王子結了婚。

道理篇

人即使生活在最惡劣的環境中，也不能灰心喪氣，對生活失去信心。

狐狸和葡萄

一隻饑餓的狐狸四處找吃的東西，這時候，牠看見果園裡的葡萄架上掛著一串串晶瑩剔透的葡萄。

又大又圓的葡萄讓狐狸口水直流，可是葡萄

架太高了，牠又蹦又跳，想盡各種辦法，還是摘不到。狐狸無可奈何的走了，還安慰自己說：「這葡萄還沒有成熟，肯定是酸的。」

狐狸心裡平靜多了，再也不想這些葡萄。

道理篇

有些人能力差，做不成事，就藉口說時機未成熟。

小猴種樹

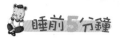

小猴種的桃樹結了不少果實。猴子們嘗了以後，都照牠的方法種起了桃樹。

小猴十分得意的想：「還是我有先見之明，大家都以我爲榜樣，這棵桃樹夠我受用一輩子！」

到了第二年，眾猴種的桃樹長得非常茂盛。牠們毫不鬆懈，又到另一個山坡上栽種。小猴蹲在自己的桃樹上吃鮮桃，自言自語的說：「你們種得再多，也比不上我這棵。」

兩年過去了，猴子們種的桃樹結滿了果實。而小猴的那棵桃樹卻因爲管理得不好，只結了幾個小桃子。小猴頓時羞紅了臉。

道理篇

陶醉在過去的成績上而不繼續努力，必定會失敗的。

戴斗笠的地藏菩薩

從前，在日本的鄉下住著一對貧窮善良的老夫婦。新年要到了，米缸裡只有一點點糯米，可是他們卻把糯米給一群饑餓的老鼠吃。

他們餓得渾身發抖，小

老鼠搬來許多可以做斗笠的葉子作爲報答。老夫婦決定把這些葉子編成斗笠賣了，買些糯米回來過年。

第二天一早，老公公要把編好的五頂斗笠，拿到街上去賣。雪下得很大，地面上積了一層厚厚的雪。老公公看見前面站著六個地藏菩薩雕像，頭上堆滿了雪，便動手將積雪掃乾淨，才又上路。老公公來到了熱鬧的街上，使勁叫賣，可是，一頂斗笠也沒賣出去。老公公踏著沉重的腳步往家裡走。當他走到地藏菩薩面前時，雪又覆蓋了祂們的頭。老公公清除積雪後，又把手中的五頂斗笠戴在雕像的頭上，但是少了一頂，

老公公解下自己的頭巾。這下子，六尊菩薩的雕像都不會積雪了。

到了家裡，老公公將今天發生的事情告訴老婆婆。老婆婆沒有生氣，笑著說：「讓我們過一個沒有年糕的新年吧！」

這時候，外面傳來一陣

陣聲音。原來是六位地藏菩薩，把一輛裝有很多糯米、胡蘿蔔和蔬菜年貨的推車，放在老公公的家門口。當老公公和老婆婆將門打開時，地藏菩薩已經不見蹤影了。他們虔誠的感謝地藏菩薩的賞賜，快樂的迎接新年。

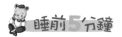

老公公和老婆婆的善良、樂觀，使他們在逆境中帶來了希望。

吊在樹上的熊

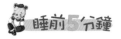

狐狸家的後院種了很多果樹。每年果實成熟時，就有一隻兔子從籬笆的破洞鑽進去偷吃。狐狸認爲是有小偷，就繞著籬笆查看，發現有個破洞。爲了抓住小偷，牠並沒有把破洞補好，而是巧妙的設下一個圈套。

這一天，兔子剛爬進破洞，就中了圈套，被高高的吊在空中。

兔子著急的想著脫身的辦法。剛好有一隻熊從院外路過，兔子靈機一動，大聲叫道：

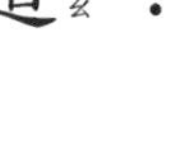

「熊大哥！狐狸的果子成熟了，怕烏鴉來吃，就把我掛在樹上，只要吊一分鐘，就能夠賺到一塊錢。可是，我現在有事，必須離開，你願意代替我嗎？」

熊非常愛錢，馬上說：「好啊！換我上去吧！」於是，熊就被吊了起來，兔子一溜煙跑了。

過了一會兒，狐狸拿了一條鞭子出來對吊在樹上的熊說：「原來偷果賊是你。今天讓你嘗嘗皮鞭的味道！」說著，就把熊痛打了一頓。

這個故事告訴我們，貪婪不會有好下場。

我知道

有一隻小兔子，牠覺得自己很聰明，所以不管人家說什麼，牠總是嚷著：「這個我知道，我知道。」

有一天，兔媽媽病了，牠對小兔子說：「孩子，你自己出去找點吃的吧！不要

碰上狼，狼的樣子很可怕，小小的眼睛……。」

小兔子沒等媽媽說完就說：「我知道，我知道。」小兔子在森林裡面亂跑、亂跳，忽然牠聽到「咩」的一聲，嚇了一跳，抬頭一看，哎呀！前面站著一個長著小小眼睛的怪東西。小兔子想起媽媽的話，這一定就是狼了，嚇得轉身就逃。那怪東西沒來追牠，小兔子才停住腳步，問：「你是狼嗎？」

怪東西哈哈大笑，說：「我是山羊公公啊！狼呀，有一條粗粗的大尾巴……。」

小兔子沒等山羊公公說完，轉身就跑，還嚷著：「我知道，我知道！」

忽然，一個

松果打在牠頭上，小兔子抬頭一看，樹枝上蹲著一隻小動物，小小的眼睛，粗粗的尾巴，小兔子害怕的叫：「狼！狼！」

那小動物鑽出來，笑得差點從樹上摔下來：「我是小松鼠呀！狼呀，有尖尖的爪子，血紅的嘴巴……。」小兔子沒有聽完，又嚷著：「我知道，我知道。」

突然，從樹後竄出一隻動物，一身灰色的毛，樣子挺難看。小兔子望著牠，想著媽媽、山羊公公和小松鼠的話。可是，牠們的話，牠都沒聽完。這時候，那怪東西張著大嘴，一步一步朝小兔子逼近。「那是大灰狼，

快逃！」小兔子聽到兔奶奶的聲音，轉身就跑，狼趕快追上來。

兔奶奶跑出來，在狼面前一閃。狼丟下小兔子去追兔奶奶了，小兔子連忙鑽進樹洞裡。兔奶奶很聰明，繞著一棵大樹兜圈子，突然鑽進一個土洞裡去了。狼在洞口等了半天，兔奶奶沒有出現，只好拖著尾巴走了。等

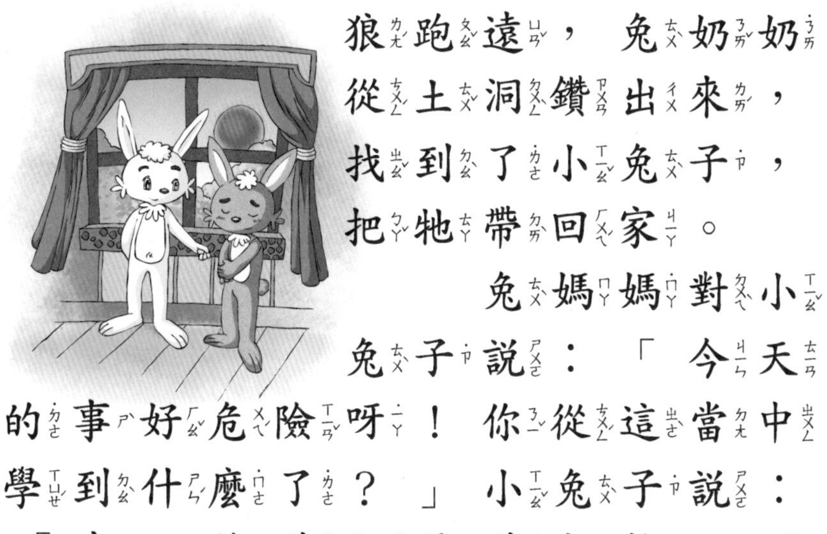

狼跑遠，兔奶奶從土洞鑽出來，找到了小兔子，把牠帶回家。

兔媽媽對小兔子說：「今天的事好危險呀！你從這當中學到什麼了？」小兔子說：「我以後聽話要聽完整，不知道的事，再也不說『我知道』了。」

知道就是知道，不知道就是不知道，這才是聰明的人。不知道卻裝作知道，結果更讓人輕視。

金鳥

有一個國王，他的御花園裡種了一棵會結金蘋果的樹。有一天，樹上的金蘋果少了一個。國王很生氣，決心要抓住偷金蘋果的小偷。

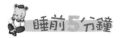

國王要王子守在樹下，王子守到半夜，忽然聽到一個奇怪的聲音。啊！原來是一隻美麗的金鳥飛來偷金蘋果。他對準金鳥射出一箭，可惜沒射中，金鳥還是銜著金蘋果飛走了。

王子決定去尋找那隻金鳥。王子遇到一隻狐狸，狐狸說：「你是去尋找金鳥的吧！我帶你去找。」

王子高興極了，騎在狐狸的背上，很快來到一座古堡。在古堡裡，王子果然見到了金鳥，準備要抓，金鳥突然喊到：「來人哪，有賊啊！」

王子被衛兵抓住，送到古堡國王面前。國王說：「要想我不殺你，除非你能找到公主。」可是公主在哪兒呢？就在王子不知如何找起時，狐狸又出現了。牠背著王子在花園裡找到了公主。

狐狸使用法術，讓王子抓著金鳥，帶著公主回國。

國王見王子帶著金鳥回來，還有一個漂亮的公主，非常高興，馬上讓他和公主結婚。那隻經常幫助王子的狐狸是誰呢？原來，他就是公主的哥哥。

積極、勇敢、樂觀的面對人生，才是正確的態度。

狐狸的奶罐

有位農婦到田裡收割農作物，把一個裝著牛奶的罐子藏在灌木叢的後面。狐狸偷偷的走近罐子，把腦袋鑽進罐口，舔著牛奶，把裡面的奶喝光。

狐狸吃飽了，可是，事

情有點不妙，牠的腦袋無法從罐子口拔出來。狐狸只好一邊走著，一邊用頭頂著罐子搖晃，說：「行啦！小罐子，不要再跟我開玩笑啦！快把我放出來。」

狐狸用盡了甜言蜜語、各種辦法，罐子始終沒有理會牠。狐

狸生氣了，說：「該死的壞東西，你不顧我的面子，我就把你淹死！」

　　於是，狐狸跑到河邊，跳下河去。罐子往下沉，沉到水底去了。當然啦！狐狸也跟著一起沉下去了。

道理篇

處理問題之前得先考慮一下後果。否則，貿然行事，自己也跟著遭殃。

狐狸和螃蟹

有一天，狐狸看見一隻螃蟹舉著一雙鉗子，橫著八隻腳爬來。狐狸見螃蟹爬得很吃力，就嘲笑說：「你雖然有八隻腳，但是，我跑起來至少比你快十倍！」

螃蟹對狐狸說：「你說我腳多但是跑不快，這是不對的！」

狐狸說：「既然如此，我們來賽跑，看誰跑得比較快！」

螃蟹笑嘻嘻的說：「你要是敢把尾巴垂下來跟我賽跑，我才佩服你。」

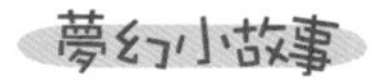

狐狸聽了笑道：「你懷疑我用尾巴作弊嗎？好吧，你說怎麼比就怎麼比！」

狐狸垂下尾巴，螃蟹喝道：「預備，開始！」

狐狸立即向前跑，卻不知道螃蟹鉗住了牠的尾巴。

狐狸跑了很久，回頭一看，不見螃蟹

蹤影，以爲自己跑贏了，才在路旁停下來休息。牠一停下來，螃蟹放開狐狸的尾巴走出來。

螃蟹説：「你以爲跑得比我遠十倍，誰知道你只超過我一個頭，眞丟臉。」

這時狐狸一句話也説不出來，垂頭喪氣的走開了。

不要隨便愚弄、嘲笑別人，更不能以貌取人。

狐狸和仙鶴

狐狸和仙鶴原本是好朋友。有一次，狐狸請仙鶴到牠家裡做客。狐狸燒了一鍋麥粥，倒在一個盤子裡，端

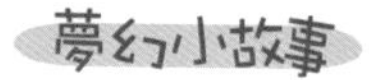

給仙鶴吃。仙鶴用尖尖的嘴啄著盤子，但是，一點東西也沒有吃到。而狐狸張開大嘴，一會兒就把一盤子的粥給吃光。

仙鶴說道：「謝謝你的晚餐！明天換你到我家去做客！」

第二天，狐狸來到仙鶴家。仙鶴用一隻細頸瓶子盛滿一罐果子露請狐狸吃。狐狸圍著瓶子團團轉，腦袋怎麼伸也伸不進去。就這樣，仙鶴把整瓶果子露吃光了。

從那以後，狐狸和仙鶴就斷絕來往。

道理篇

朋友之間需要彼此的諒解和寬容，不要彼此捉弄。

三人成虎

戰國時期，魏國的太子被送到趙國的都城邯鄲做人質，跟隨的人員中有一位叫龐蔥的大臣。臨行前，龐蔥對魏王說：「要是有人跑來說，街上出現了一隻老虎，大王您相不相信？」魏王立刻答道：「當然不相信！」

龐蔥又問：「如果同時有兩個人這麼說呢？」魏王不假思索的說：「有點相信了。」

龐蔥接著問：「那麼要是三個人都這樣說呢？」魏

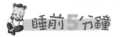

王想了一會兒回答：「我會相信。」龐蔥說：「街上明明不可能出現老虎，可是如果有許多人這麼說，您就可能信以爲眞。將來要是有人毀謗我，希望大王明察。」

龐蔥走後，很多人毀謗他，最後，魏王就不再重用他了。

當謠言一再重覆，很難不讓人相信。輿論的力量是非常大的。

兩隻小懶熊

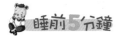

熊媽媽牠有兩個兒子，哥哥叫大胖，弟弟叫二胖。

天氣又悶又熱，兩隻小熊央求說：「媽媽，買個西瓜給我們吃吧！」

熊媽媽說：「媽媽有

事，要吃你們自己去買。」

兄弟都很懶，既想吃又不想去買，互相推託。

熊媽媽有點生氣：「別吵啦！你們一起去。」

大胖、二胖只好一起去買西瓜。他們來到了河邊鹿阿姨的瓜園。鹿阿姨挑了個

最大、最甜的西瓜給他們。

付錢後，兩隻小懶熊誰也不願抱著大西瓜走。正在爭辯時，二胖突然拍著腦袋說：「有了！西瓜會滾，我們讓它自己跑回家吧！」

大胖同意了，兄弟倆爭著滾大西瓜。滾過河灘，滾過小橋，滾過草地，滾過森林，一直滾到家裡。

媽媽一刀切下去，紅紅的瓜瓤全都變成了水，流了滿桌、滿地。

大胖、二胖皺起眉頭，這麼好的大西瓜卻不能吃，你說這事該怪誰呢？

道理篇

只能怪兩隻小熊偷懶，喜歡耍小聰明。

裘爾卡

貓、公雞和一個機智勇敢的孩子裘爾卡住在一起。

有一天，貓和公雞出去尋找食物，裘爾卡獨自留在家裡。狐狸得知後，一把抓住他，拖往森林裡吃。

狐狸回到家裡，把爐火燒旺，想把裘爾卡烤來吃。牠找來一把鏟子，命令說：「坐上去。」

裘爾卡很聰明，他張開兩手和兩腳坐下去。鏟子伸不進爐口。狐狸說：「你的坐法不對！」

裘爾卡說：「請您示範給我看！」

狐狸把裘爾卡從罐子上拉下來，自己跳上去，把尾巴蜷成一團。

裘爾卡立即把牠扔進爐子，關上爐門，轉身逃出小屋。

貓和公雞正在家中擔心

裘爾卡的安危，坐立不安。

突然，臺階上傳來一陣響聲，裘爾卡回來了，他大聲喊：「我回來了，狐狸在爐子裡被我燒死了！」

貓和公雞高興極了，裘爾卡沒有受傷。現在他們又開開心心的住在茅屋裡，還歡迎大家去做客呢！

人生中難免會經歷困難和危險，有了機智和勇敢，可以化解很多麻煩。

雞鳴狗盜

戰國時期，齊國的孟嘗君養了三千多位食客，每人都有特殊的才能。

秦昭襄王仰慕孟嘗君的才能，因此派人請他到秦國做客。孟嘗君送上一件名貴的純白狐裘，作為見面禮。秦昭襄王與孟嘗君兩人一見如故，秦王想讓他做宰相，卻引起大臣的嫉妒，在秦王的面前說孟嘗君的壞話。孟嘗君被軟禁了起來。

孟嘗君就派人去求秦王的寵妾燕姬幫忙，但是燕姬卻要一件和秦王一樣的白狐裘才肯相助。

一位食客自告奮勇的對

孟嘗君說：「我有辦法。」

這天晚上，這位食客就偷偷進入皇宮，學著狗叫把衛士引開，順利的偷回那件白狐裘。孟嘗君把白狐裘交給燕姬，過了沒多久，秦王就釋放了孟嘗君。

孟嘗君一被釋放就馬上

趁著夜晚，來到了秦國的邊界——函谷關。只要通過這道關口就安全了。可是現在是深夜，城門緊閉，必須等到雞鳴才會開放，如果秦王發現他們逃走而派人追趕，怎麼辦？

這時，有位食客扯開嗓

子，學著公雞喔喔叫。一時之間，全城的雞都跟著叫。守城門的士兵聽到公雞叫，以爲天亮了，就按照規定把城門打開。

孟嘗君一行人便平安的通過函谷關，回到齊國。

道理篇

「雞鳴狗盜」用來比喻微不足道的技能。

驕傲的空心樹

河岸上長著兩棵柳樹。老柳樹很謙遜的低著頭，年輕的柳樹卻認爲自己長得好看，老是仰著臉。

有一天，年輕的柳樹炫耀說：「你要像我這樣昂起頭，這樣人們才會稱讚我長得又高又大又漂亮！」老柳樹說：「我知道你的想法，可是你要當心樹心會變空的啊！」

年輕的柳樹不理睬老柳樹的忠告。過了一段時間，因爲年輕的柳樹老是將吸收到的養分用在修飾外表上，不

久，樹心就空了。

後來，主人想蓋房子，把柳樹都砍了。主人看見年輕的柳樹的心是空的，說：「本來我打算用你做大梁，可是現在除了做柴火外，就沒有其他用處！」他又看看老柳樹，說：「這倒是適合的木料！」

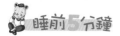

道理篇

只顧追求外表美，不過是徒有虛名；成材的，全憑真材實料。

三隻貓

糧倉中有一隻狡猾的老鼠，蹧蹋了許多糧食。倉庫的主人就找來一隻老貓。

老貓年紀大了，接連幾個晚上都沒有捉到這隻狡猾的老鼠，主人非常生氣。

老貓只好找來三隻貓，問：「你們誰願意去對付那隻老鼠啊？」

大貓一聲不吭，二貓連大氣都不敢喘，小貓站出來說：「我去！」

一場大戰後，小貓終於抓住了老鼠。

第二天，大貓說：「我捉過的最

小的一隻老鼠，也要比牠大好幾倍。」二貓也說：「昨晚要是我去，只要我叫上一聲，這隻老鼠肯定嚇死。」

老鼠長歎一聲：「要是昨晚我遇到的是你們就好啦！」

大貓、二貓聽了，羞愧的說不出話來。

道理篇

這個故事說明了「事實勝於雄辯」這個道理。

睡前5分鐘：夢幻小故事 / 吳鳳珠, 常祈天,李菁敏
編輯. -- 初版. - 臺北市：風車圖書,
2006[民95]
面； 公分
ISBN 978-986-7014-65-8(平裝)
859.6 95018068

- 社長 / 許丁龍 - 編輯 / 吳鳳珠、常祈天、李菁敏
- 設計 / 邱月貞、蔡依雯 - 出版 / 風車圖書出版有限公司
- 代理 / 三暉圖書發行有限公司
- 地址 / 114台北市內湖區瑞光路258巷2號5樓
- 電話 / (02) 8751-3866 - 傳真 / (02) 8751-3858
- 網址 / www.windmill.com.tw - 帳號 / 14957898
- 戶名 / 三暉圖書發行有限公司 - 出版 / 2006年10月初版